MODERATE LEVEL

MATCHING CHINESE CHARACTERS AND PINYIN

把汉字和拼音连起来

MANDARIN CHINESE PINYIN TEST SERIES

测试你的拼音知识

PART 1

Simplified Mandarin Chinese Characters with Pinyin and English, Mind Games, Test Your Knowledge of Pinyin with Multiple Answer Choice Puzzle Questions, Fast Reading & Vocabulary, Answers Included, Easy Lessons for Beginners, HSK All Levels

DENG YIXIN 邓艺心

ACKNOWLEDGEMENT

I would like to thank everyone who helped me complete this book, including my teachers, family members, friends, colleagues.

谢谢

Deng Yixin

邓艺心

INTRODUCTION

Chinese language and culture are a huge concept. In order to understand and appreciate Mandarin Chinese, we need to understand the language. Learning Chinese character is a very important part of learning the language. And, yes, learning pinyin is a must!

Welcome to **Connecting Chinese Characters and Pinyin Test Series**. Now you can test the knowledge of your Chinese pinyin (测试你的拼音知识). In these books and lessons therein, you will learn recognizing pinyin of the simplified Chinese characters. The books contain hundreds of character-pinyin matching **puzzles** (questions). For each question, there are Chinese characters in the left column and pinyin in the right column. You need to guess the correct pinyin of the given characters (把汉字和拼音连起来). The **English** meanings of the Chinese characters has been included a quick reference. The answers of all the question are provided at the end of the book.

CONTENTS

CHAPTER 1: QUESTIONS (1-30)

#1.

A. 主   1. Kǎ (Block)

B. 焉   2. Zhǔ (Host)

C. 卡   3. Yān (Here)

D. 袄   4. Ǎo (A short Chinese-style coat or jacket)

E. 煞   5. Shà (Evil spirit)

#2.

A. 经   1. Shòu (Sell)

B. 售   2. Liú (A surname)

C. 形   3. Xíng (Form)

D. 刘   4. Jìng (Warping)

E. 东   5. Dōng (Surname)

#3.

A. 权   1. Quán (Counterpoise)

B. 义   2. Yáng (Yang, the masculine or positive principle in
nature)

C. 硫   3. Liú (Sulphur)

D. 鹄   4. Yì (Justice)

E. 阳   5. Gǔ (Target)

#4.

A. 奢   1. Bàn (Mix)

B. 袎   2. Shē (Extravagant)

C. 松   3. Líng (Imperial tomb)

D. 拌   4. Sōng (Pine)

E. 陵   5. Yào (Leg of a boot)

#5.

A. 粕   1. Pò (Dregs of rice)

B. 笋   2. Sǔn (Bamboo shoot)

C. 喜   3. Zhāo (Early morning)

D. 骦   4. Shuāng (Horse)

E. 朝   5. Xǐ (Be happy)

#6.

A. 飞   1. Shǐ (History)

B. 竟   2. Fēi (Fly)

C. 示   3. Shì (Show)

D. 飕   4. Jìng (Finish)

E. 史   5. Sī (Cool breeze)

#7.

A. 狠   1. Kuàng (Hair style)

B. 雪   2. Hěn (Ruthless)

C. 枸   3. Xuě (Snow)

D. 卝   4. Gǒu (Chinese wolfberry)

E. 匜   5. Yí (Gourd-shaped ladle)

#8.

A. 凛   1. Shěn (Careful)

B. 结   2. Zōu (Corner)

C. 经   3. Jīng (Warp)

D. 审   4. Jié (Tie)

E. 陬   5. Lǐn (Cold)

#9.

A. 冈   1. Bā (Hope earnestly)

B. 无   2. Wú (No)

C. 巴   3. Yàng (Ailment)

D. 恙　　　　　　　　4. Gāng (Ridge (of a hill))

E. 酵　　　　　　　　5. Jiào (Ferment)

#11.

#10.

A. 盂　　　　　　　　1. Xiù (Put forth flowers or ears)

B. 孵　　　　　　　　2. Sǔn (Bamboo shoot)

C. 秀　　　　　　　　3. Yào (Medicine)

D. 笋　　　　　　　　4. Fū (Brood)

E. 药　　　　　　　　5. Yú (Jar)

#11.

A. 窝　　　　　　　　1. Tuì (Take off)

B. 褪　　　　　　　　2. Xià (Summer)

C. 虔　　　　　　　　3. Wō (Nest)

D. 煞　　　　　　　　4. Shā (Stop)

E. 夏　　　　　　　　5. Qián (Pious)

#12.

A. 掀　　　　　　　　1. Xiān (Lift)

B. 突　　　　　　　　2. Tū (Dash forward)

C. 歧　　　　　　　　3. Huàn (Melt)

D. 沙   4. Qí (Fork)

E. 涣   5. Shà (Shake)

#13.

A. 胖   1. Fū (Husband)

B. 鸢   2. Yuān (Kite)

C. 昼   3. Zhòu (Daytime)

D. 去   4. Qù (Go)

E. 夫   5. Pàng (Fat)

#14.

A. 句   1. Zhì (Make)

B. 孛   2. Gōu (Tender bud)

C. 郚   3. Wú (A surname)

D. 制   4. Bèi (Comet)

E. 决   5. Jué (Decide)

#15.

A. 艳   1. Zhī (An ancient wine vessel)

B. 虹   2. Yàn (Gorgeous)

C. 云   3. Jiàng (Rainbow)

D. 厄

4. Cí (Female (dog, gorilla, elephant, etc.))

E. 雌

5. Yún (Surname)

#16.

A. 笃

1. Ruì (The confluence of streams)

B. 驴

2. Lǘ (Donkey)

C. 武

3. Dǔ (Sincere)

D. 汭

4. Wǔ (Military)

E. 断

5. Duàn (Break)

#17.

A. 螨

1. Jiāo (Burnt)

B. 碍

2. Tuǒ (Oval)

C. 椭

3. Wéi (Leather)

D. 韦

4. Mǎn (Mite)

E. 焦

5. Ài (Hinder)

#18.

A. 孵

1. Ān (Saddle)

B. 耦

2. Fū (Brood)

C. 鞍

3. Juéduì (Plough)

D. 泗   4. Tū (Convex)

E. 凸   5. Sì (Nasal mucus)

#19.

A. 就   1. Dí (Pheasant)

B. 教   2. Shǐ (Pig)

C. 豕   3. Chǒu (Ugly)

D. 翟   4. Jiù (Even if)

E. 丑   5. Jiāo (Teach)

#20.

A. 饮   1. Qiào (Pretty)

B. 汹   2. Hé (Close)

C. 粱   3. Liáng (A fine strain of millet)

D. 合   4. Yìn (Give water to drink)

E. 俏   5. Xiōng (Turbulent)

#21.

A. 耻   1. Ruǎn (Nephew)

B. 屑   2. Chǐ (Shame)

C. 阮   3. Tì (A food steamer with several trays)

D. 奘　　　　　4. Zhuǎng (Big and thick)

E. 屑　　　　　5. Xiè (Bits)

#22.

A. 牧　　　　　1. Diàn (Electricity)

B. 廗　　　　　2. Dǔ (Gamble)

C. 赌　　　　　3. Jiàng (General)

D. 电　　　　　4. Lóng (Gallery)

E. 将　　　　　5. Mù (Herd)

#23.

A. 飔　　　　　1. Dù (Ferry crossing)

B. 喜　　　　　2. Xǐ (Be happy)

C. 搭　　　　　3. Sī (Cool breeze)

D. 渡　　　　　4. Bào (Leopard)

E. 豹　　　　　5. Dā (Build)

#24.

A. 赵　　　　　1. Zhào (Zhao, a state in the Zhou Dynasty)

B. 殄　　　　　2. Yún (Great wave)

C. 迫　　　　　3. Chún (Lip)

D. 唇   4. Pò (Compel)

E. 沄   5. Tiǎn (Extirpate)

#25.

A. 盈   1. Kuì (Deficient)

B. 洣   2. Pēng (Noise of waters)

C. 匮   3. Yín (Gum)

D. 龂   4. Fù (Swim)

E. 甸   5. Yíng (Be full of)

#26.

A. 耜   1. Lìng (Another)

B. 肖   2. Sì (A spade-shaped farm tool used in ancient China)

C. 卷   3. Xiāo (A surname)

D. 另   4. Juǎn (Embroil)

E. 飐   5. Zhǎn (Set in motion)

#27.

A. 百   1. Lǐn (Austere)

B. 贡   2. Càn (Bright)

C. 匠   3. Gòng (Tribute)

D. 灿   4. Jiàng (Craftsman)

E. 憬   5. Bǎi (All)

#28.

A. 郯   1. Hù (Paste)

B. 趴   2. Tán (Tan, a state in the Zhou Dynasty)

C. 珊   3. Pā (Lie on one's stomach)

D. 刮   4. Guā (Shave)

E. 糊   5. Shān (Coral)

#29.

A. 汩   1. Xiāng (Railway carriage or compartment)

B. 允   2. Gǔ (Rushing)

C. 滑   3. Huá (Slip)

D. 厢   4. Suī (Urine)

E. 尿   5. Yǔn (Allow)

#30.

A. 起   1. Nuò (Promise)

B. 卖   2. Qǐ (Rise)

C. 黩

countryside)

D. 诺   4. Mài (Sell)

E. 旐   5. Dú (Blacken)

3. Zhào (The flag used by officials in the ancient

CHAPTER 2: QUESTIONS (31-60)

#31.

A. 考	1. Diān (Suburb)
B. 甸	2. Kǎo (Examine)
C. 过	3. Jǐng (Neck)
D. 颈	4. Ēi (Hey)
E. 欸	5. Guò (Cross)

#32.

A. 蛰	1. Nán (Difficult)
B. 釉	2. Dú (A word used in a person's name)
C. 顿	3. Sī (Think)
D. 难	4. Zhé (Hibernate)
E. 思	5. Yòu (Glaze (of porcelain))

#33.

A. 鸭	1. guāng (Bladder)
B. 糍	2. Chuí (Frontiers)
C. 释	3. Shì (Explain)
D. 胱	4. Cí (Cooked glutinous rice pounded into paste)
E. 陲	5. Yā (Duck)

#34.

A. 旱   1. Zǎo (Early)

B. 悚   2. Sǒng (Frightened)

C. 爽   3. Fú (Tally)

D. 胾   4. Shuǎng (Bright)

E. 符   5. Zì (A large piece of meat)

#35.

A. 肉   1. Pàng (Fat)

B. 胖   2. Xián (Refined)

C. 娴   3. Hé (To bite)

D. 龁   4. Ròu (Meat)

E. 褚   5. Zhǔ (Silk floss)

#36.

A. 约   1. Yuē (Make an appointment)

B. 熠   2. Yì (Glistening)

C. 眨   3. Xì (System)

D. 汾   4. Yàn (Used in place names)

E. 系   5. Fén (The name of a river in Shanxi Province)

#37.

A. 志

1. Tāng (Ford)

B. 艰

2. Zuò (Certain)

C. 那

3. Jiān (Difficult)

D. 凿

4. Zhì (Aspiration)

E. 趄

5. Nèi (That)

#38.

A. 盘

1. Bì (Pure fragrance emitted by the finest spices)

B. 酬

2. Chóu (Propose a toast)

C. 迈

3. Mài (Step)

D. 飶

4. Jiā (Soak)

E. 浃

5. Pán (Tray)

#39.

A. 乔

1. Bì (Abuse)

B. 瘪

2. Qiáo (Tall)

C. 攀

3. Biě (Shriveled)

D. 弊

4. Fēng (Close)

E. 封

5. Pān (Climb)

#40.

A. 家

1. Jiā (Family)

B. 康

2. Hóng (Deep and wide (of water))

C. 觫

3. Kāng (Health)

D. 泓

4. Rén (A surname)

E. 任

5. Sù (Shiver or tremble from fear)

#41.

A. 包

1. Xuān (Declare)

B. 和

2. Huò (Mix)

C. 媛

3. Yuán (Pretty (used in female names))

D. 鲍

4. Bào (Abalone)

E. 宣

5. Bāo (Wrap)

#42.

A. 除

1. Chú (Get rid of)

B. 灿

2. Càn (Bright)

C. 移

3. Yí (Move)

D. 载

4. Jiù (Rescue)

E. 救

5. Zǎi (Year)

#43.

A. 於

1. Liè (Crystal-clear)

B. 属

2. Nǐng (Differ)

C. 冽

3. Shǔ (Category)

D. 觉

4. Jiào (Sleep)

E. 拧

5. Yú (What)

#44.

A. 试

1. Dēng (Board)

B. 竖

2. Dá (Tatars)

C. 羔

3. Shù (Vertical)

D. 登

4. Shì (Test)

E. 鞑

5. Gāo (Lamb)

#45.

A. 旷

1. Bō (Glass)

B. 予

2. Zhuàn (Revolve)

C. 畠

3. Kuàng (Open)

D. 玻

4. Yǔ (Give)

E. 转

5. Tián (Dryland)

#46.

A. 馅   1. Sàn (Break up)

B. 乱   2. Xiàn (Filling)

C. 散   3. Huī (Clamor)

D. 耢   4. Lào (Level)

E. 豗   5. Luàn (In a mess)

#47.

A. 狎   1. Zé (Pool)

B. 泽   2. Xiá (Be improperly familiar with)

C. 移   3. Jǔ (Stop)

D. 沮   4. Yí (Move)

E. 琛   5. Chēn (Treasure)

#48.

A. 泻   1. Dīng (Surname)

B. 郤   2. Xiè (Flow swiftly)

C. 痕   3. Qiè (A surname)

D. 丁   4. Hén (Mark)

E. 狈   5. Bèi (A wolf-like animal with short forelegs)

#49.

A. 种   1. Zhé (A wise and intelligent person)

B. 省   2. Lǐ (Plum)

C. 李   3. Sàn (Break up)

D. 散   4. Xǐng (Visit)

E. 喆   5. Chóng (A surname)

#50.

A. 酞   1. Tài (Phthalein)

B. 默   2. Qī (Relative)

C. 特   3. Dǎn (Calm and honest)

D. 花   4. Tè (Particular)

E. 戚   5. Huā (Flower)

#51.

A. 犍   1. Xīn (Salary)

B. 斋   2. Zhāi (Fast)

C. 细   3. Jiān (Bullock)

D. 薪   4. Chuǎng (Rush)

E. 闯   5. Xì (Fine)

#52.

A. 扎	1. Chǐ (Shame)
B. 耻	2. Gài (Beggar)
C. 屲	3. Jiā (Soak)
D. 灰	4. Zhā (Prick)
E. 浹	5. Huī (Ash)

#53.

A. 琅	1. È (Another name for Hubei Province)
B. 鄂	2. Bìn (Kneecap)
C. 聊	3. Liáo (Merely)
D. 汴	4. Biàn (Another name for Kaifeng (in Henan Province))
E. 髕	5. Láng (A surname)

#54.

A. 郢	1. Hé (Handle)
B. 盉	2. Yōu (Flowing)
C. 攸	3. Yǐng (Capital of the State of Chu)
D. 厄	4. Zhī (An ancient wine vessel)
E. 掐	5. Capture (Catch)

#55.

A. 修   1. Xiū (Embellish)

B. 靼   2. Hóng (Rainbow)

C. 引   3. Yāng ((Of waters) vast)

D. 虹   4. Yǐn (Draw)

E. 泱   5. Dá (Tatars)

#56.

A. 靪   1. Wǎn (Bowl)

B. 碗   2. Qíng (Tattoo the face)

C. 黥   3. Nǎi (Be)

D. 乃   4. Zāi (Used in exclamations)

E. 哉   5. Dīng (Mend the sole of a shoe)

#57.

A. 辗   1. Cì (Stab)

B. 酥   2. Zhǎn (Roll)

C. 刺   3. Zōu (Corner)

D. 衲   4. Nà (Patch up)

E. 陬   5. Sū (Crisp)

#58.

A. 沟   1. Tū (Convex)

B. 冀   2. Miè (Go out)

C. 灭   3. Mó (Steamed bread)

D. 馍   4. Jì (Hope)

E. 凸   5. Gōu (Channel)

#59.

A. 蟹   1. Xiè (Crab)

B. 燕   2. Chēng (Red)

C. 赪   3. Yān (A surname)

D. 翠   4. Cuì (Emerald green)

E. 匋   5. Táo (Pottery)

#60.

A. 宛   1. Shì (Type)

B. 琨   2. Xiōng (Turbulent)

C. 糍   3. Kūn (Beautiful jade)

D. 式   4. Cí (Cooked glutinous rice pounded into paste)

E. 汹   5. Wǎn (As if)

CHAPTER 3: QUESTIONS (61-90)

#61.

A. 泮　　　　　　　　1. Yún (A surname)

B. 攻　　　　　　　　2. Méi (Mold)

C. 郧　　　　　　　　3. Pàn (Melt)

D. 霉　　　　　　　　4. Gōng (Attack)

E. 踏　　　　　　　　5. Tà (Step on)

#62.

A. 靼　　　　　　　　1. Xī (Sunlight (usu. Of early morning))

B. 曦　　　　　　　　2. Dá (Tatars)

C. 鹈　　　　　　　　3. Fú (Undercurrent)

D. 洑　　　　　　　　4. Tí (Pelican)

E. 旧　　　　　　　　5. Jiù (Past)

#63.

A. 犊　　　　　　　　1. Jiè (Boundary)

B. 界　　　　　　　　2. Xùn (Flood)

C. 饨　　　　　　　　3. Xùn (Be poisoned or suffocated by coal gas)

D. 熏　　　　　　　　4. Dú (Calf)

E. 汛   5. Tún (Stuffed dumplings)

#64.

A. 胤   1. Láng (A surname)

B. 通   2. Yìn (Offspring)

C. 琅   3. Chuí (Hang down)

D. 垂   4. Yǐ (Use)

E. 以   5. Tōng (Open)

#65.

A. 领   1. Yán (Grind)

B. 髃   2. Lǐng (Neck)

C. 稻   3. Yǔ (Disagreement (the upper and lower teeth not meeting properly))

D. 研   4. Dào (Rice)

E. 龉   5. Yú (The joint formed by the lateral end of the clavicle of the human body and the acromion of the scapula)

#66.

A. 辽   1. Yá (A place in Shandong)

B. 舨   2. Mò (Mill)

C. 琊   3. Bǎn (Small boat)

D. 尿   4. Niào (Urine)

E. 磨   5. Liáo (Distant)

#67.

A. 乐   1. Wèng (Urn)

B. 廖   2. Qiào (Shell)

C. 瓮   3. Chái (Jackal)

D. 壳   4. Lè (Happy)

E. 豺   5. Yí (Bolt)

#68.

A. 汔   1. Bēn (Rush)

B. 鉴   2. Bì (Finish)

C. 毕   3. Bì (Avoid)

D. 避   4. Jiàn (Ancient bronze mirror)

E. 奔   5. Qì (Almost)

#69.

A. 秦   1. Áo (Stroll)

B. 寿   2. Shòu (Longevity)

C. 阻   3. Qín (The Qin Dynasty)

D. 千　　　　　　　4. Zǔ (Block)

E. 敖　　　　　　　5. Qiān (Thousand)

#70.

A. 额　　　　　　　1. É (Forehead)

B. 翰　　　　　　　2. Hàn (Peng)

C. 亡　　　　　　　3. Wáng (Flee)

D. 焚　　　　　　　4. Fén (Burn)

E. 邸　　　　　　　5. Dǐ (A surname)

#71.

A. 漆　　　　　　　1. Tiè (Gluttonous)

B. 戈　　　　　　　2. Nüè (Cruel)

C. 尴　　　　　　　3. Qī (Paint)

D. 虐　　　　　　　4. Jiān (Small)

E. 饕　　　　　　　5. Gān (Embarrassed)

#72.

A. 渤　　　　　　　1. Jiè (Send under guard)

B. 醴　　　　　　　2. Wěi (Entrust)

C. 魇　　　　　　　3. Lǐ (Sweet wine)

D. 解　　　　　　　4. Bó (Bohai Sea)

E. 委　　　　　　　5. Yǎn (Have a nightmare)

#73.

A. 瓣　　　　　　　1. Xuán (Mysterious)

B. 齚

meeting properly))　2. Yǔ (Disagreement (the upper and lower teeth not

C. 齬　　　　　　　3. Fù (Rich)

D. 玄　　　　　　　4. Zì (A large piece of meat)

E. 富　　　　　　　5. Bàn (Petal)

#74.

A. 教　　　　　　　1. Pō (Slope)

B. 戛　　　　　　　2. Chì (Upbraid)

C. 坡　　　　　　　3. Shì (Be similar)

D. 斥　　　　　　　4. Jiāo (Teach)

E. 似　　　　　　　5. Jiá (Knock gently)

#75.

A. 凋　　　　　　　1. Sōu (Make sth. dry or cool)

B. 窨　　　　　　　2. Sī (Egret)

C. 鸶　　　　　　　3. Dú (Calf)

D. 飕   4. Diāo (Withered)

E. 犊   5. Jiǒng (In straitened circumstances)

#76.

A. 诈   1. Jī (Clogs)

B. 屐   2. Fēn (Mist)

C. 卷   3. Juǎn (Embroil)

D. 戚   4. Qī (Relative)

E. 雾   5. Zhà (Fraud)

#77.

A. 任   1. Chuáng (Bed)

B. 泊   2. Wāng (A surname)

C. 床   3. Bó (Lie at anchor)

D. 辽   4. Rèn (Appoint)

E. 汪   5. Liáo (Distant)

#78.

A. 遏   1. Jī (Chicken)

B. 鸡   2. Shé (Snake)

C. 烂   3. Làn (Mashed)

D. 蛇 4. Tà (Careless)

E. 属 5. Shǔ (Category)

#79.

A. 孪 1. Tǒng (Interconnected system)

B. 斨 2. Luán (Twin)

C. 统 3. Qiāng (An ancient axe)

D. 届 4. Lǚ (Lü (an ancient city in Shanxi Province))

E. 郘 5. Jiè (Fall due)

#80.

A. 乖 1. Wú (Centipede)

B. 墨 2. Guāi (Obedient)

C. 蜈 3. Ruǎn (Pliable)

D. 耎 4. Lián (Bridal trousseau)

E. 奁 5. Mò (China ink)

#81.

A. 乃 1. Bó (Neck)

B. 豕 2. Chén (Morning)

C. 麾 3. Shǐ (Pig)

D. 脖   4. Nǎi (Be)

E. 晨   5. Huī (Standard of a commander)

#82.

A. 真   1. Gǔ (Rushing)

B. 汨   2. Huān (Joyous)

C. 沁   3. Chá (Tea plant)

D. 茶   4. Zhēn (Genuine)

E. 欢   5. Qìn (Ooze)

#83.

A. 备   1. Hè (Join in the singing)

B. 和   2. Gē (Wart)

C. 鸠   3. Jiū (Turtledove)

D. 脉   4. Bèi (Have)

E. 疙   5. Mài (Arteries and veins)

#84.

A. 缀   1. Zhuì (Sew)

B. 邺   2. Liàng (Bright)

C. 樊   3. Yè (An ancient place name)

D. 亮   4. Shǐ (History)

E. 史   5. Fán (Surname)

#85.

A. 墨   1. Chéng (Ride)

B. 瑕   2. Ë (Tellurium)

C. 碚   3. Fěi (Be at a loss for words)

D. 乘   4. Mò (China ink)

E. 悱   5. Xiá (Flaw in a piece of jade)

#86.

A. 那   1. Nè (That)

B. 惨   2. Mào (Octogenarian)

C. 沄   3. Cǎn (Miserable)

D. 耄   4. Yún (Great wave)

E. 乔   5. Qiáo (Tall)

#87.

A. 由   1. Chú (Kitchen)

B. 鞊   2. Gāng (Neck)

C. 亢   3. Bàn (Leather strap on the back of horse)

D. 厨   4. Jiǔ (For a long time)

E. 久   5. Yóu (Cause)

#88.

A. 声   1. Jiù (Vulture)

B. 殖   2. Zǎo (Algae)

C. 鹰   3. Zhí (Breed)

D. 鹫   4. Shēng (Sound)

E. 藻   5. Yīng (Eagle)

#89.

A. 鞘   1. Yù (Control)

B. 松   2. Yǎo (Ladle out)

C. 舀   3. Shāo (Whiplash)

D. 硌   4. Luò (Large stone)

E. 驭   5. Sōng (Pine)

#90.

A. 拧   1. Qīng (Incline)

B. 倾   2. Nǐng (Differ)

C. 嫑   3. Yuán (Pretty (used in female names))

D. 媛   4. Yuè (Yellowish-black)

E. 北   5. Běi (North)

CHAPTER 4: QUESTIONS (91-120)

#91.

A. 戒   1. Jiè (Guard against)

B. 再   2. Fàn (Pattern)

C. 范   3. Zāi (Used in exclamations)

D. 哉   4. Mù (Boat)

E. 艒   5. Zài (Again)

#92.

A. 盔   1. Bó (Neck)

B. 舰   2. Kuī (Helmet)

C. 覃   3. Tán (Deep)

D. 鼎   4. Dǐng (An ancient cooking vessel with two loop handles
and three or four legs)

E. 脖   5. Tiǎn (Ashamed)

#93.

A. 薪   1. Jǐng (Neck)

B. 颈   2. Yē (Jesus)

C. 廉   3. Xīn (Salary)

D. 耶   4. Jué (Role)

E. 脚   5. Lián (Inexpensive)

#94.

A. 寄   1. Āi (Oh)

B. 辽   2. Jì (Send)

C. 余   3. Liáo (Distant)

D. 欸   4. Yú (Remain)

E. 继   5. Jì (Continue)

#95.

A. 北   1. Běi (North)

B. 忐   2. Chuāi (Hide things in one's clothes)

C. 揣   3. Gài (Cover)

D. 秋   4. Tǎn (Uneasy)

E. 盖   5. Qiū (Autumn)

#96.

A. 鸭   1. Táng (Hall)

B. 鲈   2. Jì (Tie)

C. 堂   3. Lú (Perch)

D. 系   4. Liè (Strong)

E. 烈   5. Yā (Duck)

#97.

A. 靼   1. Ōu (A surname)

B. 区   2. Dá (Tatars)

C. 觎   3. Tì (A food steamer with several trays)

D. 屉   4. Xí (Shaman)

E. 甙   5. Dài (Glucoside)

#98.

A. 丫   1. Zhú (Pursue)

B. 颖   2. Nóng (Farming)

C. 聪   3. Yā (Ah)

D. 农   4. Cōng (Faculty of hearing)

E. 逐   5. Yǐng (Name of a river in Henan and Anhui)

#99.

A. 戟   1. Jǐ (Halberd)

B. 帛   2. Huàn (Melt)

C. 鲑   3. Xié (Fish dish)

D. 涣   4. Bó (Silks)

E. 屐   5. Jī (Clogs)

#100.

A. 盆   1. Kuāng (Rectify)

B. 背   2. Fán (Surname)

C. 樊   3. Qiāng (Cavity)

D. 匡   4. Pén (Basin)

E. 腔   5. Bèi (Body's back)

#101.

A. 蚬   1. Xiǎn (A species of small clam living in fresh water)

B. 帘   2. Lián (Flag on pole over wine house)

C. 馅   3. Zú (Soldier)

D. 卒   4. Xiàn (Filling)

E. 糕   5. Gāo (Cake)

#102.

A. 阡   1. Chèng (Rung)

B. 掌   2. Qiān (A footpath between fields, running north and south)

C. 无   3. Shì (Thing)

D. 事   4. Wú (No)

E. 临   5. Lín (Be close to)

#103.

A. 邳   1. Pī (Pi (an ancient place in Jiangsu Province))

B. 卒   2. Xiàng (Elephant)

C. 李   3. Zú (Soldier)

D. 象   4. Luán (Twin)

E. 孪   5. Lǐ (Plum)

#104.

A. 酱   1. Jiàng (Paste)

B. 瓴   2. Líng (Water jar)

C. 歌   3. Chàng (Smooth)

D. 阽   4. Gē (Song)

E. 畅   5. Diàn (Close to)

#105.

A. 豭   1. È (Evil)

B. 荦   2. Jiā (Boar)

C. 软   3. Ruǎn (Soft)

D. 猰   4. Luò (Eminent)

E. 恶   5. Bìn (Kneecap)

#106.

A. 膏   1. Xiá (Flaw in a piece of jade)

B. 瑕   2. Fén (Male livestock)

C. 豮   3. Piǎo (Die from starvation)

D. 粽   4. Gāo (Fat)

E. 殍   5. Zòng (Rice dumplings)

#107.

A. 鹑   1. Bān (Spot)

B. 跟   2. Chún (Quail)

C. 韩   3. Zhòu (Double-fermented wine)

D. 酎   4. Hán (South Korean)

E. 斑   5. Gēn (Follow)

#108.

A. 终   1. Yú (Corner)

B. 衲   2. Nà (Patch up)

C. 隅   3. Zhōng (End)

D. 竟   4. Jìng (Finish)

E. 隅   5. Fēi (Wrong)

#109.

A. 瓢   1. Tíng (Graceful)

B. 永   2. Yǒng (Forever)

C. 颈   3. Piáo (Gourd ladle)

D. 旺   4. Wàng (Prosperous)

E. 婷   5. Jǐng (Neck)

#110.

A. 州   1. Jiē (Bear fruit)

B. 税   2. Zhōu (An ancient administrative division)

C. 结   3. Chén (Morning)

D. 晨   4. Xiàn (A steep hill)

E. 岘   5. Shuì (Tax)

#111.

A. 津   1. Mín (The people)

B. 异   2. Pī (Young raccoon)

C. 陆   3. Jīn (Tianjin)

D. 民   4. Yì (Different)

E. 豿   5. Lòu (Plain)

#112.

A. 是   1. Suǒ (A large rope)

B. 索   2. Shì (Yes)

C. 沃   3. Sī (Personal)

D. 私   4. Fāng (Lane)

E. 坊   5. Wò (To water)

#113.

A. 曾   1. Háo (A person of extraordinary powers or endowments)

B. 豪   2. Chā (Insert)

C. 插   3. Zēng (Great-grand)

D. 鹭   4. Lù (Egret)

E. 鸾   5. Luán (A mythical bird like the phoenix)

#114.

A. 拧   1. Sū (Crisp)

B. 酥   2. Mù (Boat)

C. 隈   3. Nǐng (Differ)

D. 孰   4. Shú (What)

E. 湄   5. Wēi (River bend)

#115.

A. 属   1. Jù (According to)

B. 鮭   2. Shǔ (Category)

C. 中   3. Zhōng (Centre)

D. 据   4. Xié (Fish dish)

E. 縈   5. Yíng (Entangle)

#116.

A. 麾   1. Huī (Standard of a commander)

B. 赃   2. Zāng (Stolen)

C. 禺   3. Pǎng (Thigh)

D. 髈   4. Tā (Undershirt)

E. 褟   5. Yú (A kind of monkey mentioned in ancient literature)

#117.

A. 隙   1. Yú (Climb over a wall)

B. 趟   2. Qì (Almost)

C. 窬   3. Xì (Crack)

D. 汔   4. Tàng (Time)

E. 辩   5. Biàn (Argue)

#118.

A. 辜   1. Dāngē (Delay)

B. 旄   2. Gū (Crime)

C. 耽   3. Guà (Divinatory symbols)

D. 鲦   4. Máo (Ancient flag with yak's tail)

E. 卦   5. Tiáo (Chub)

#119.

A. 泊   1. Sī (This)

B. 尧   2. Tǎn (Uneasy)

C. 斯   3. Pō (Lake)

D. 瘟   4. Wēn (Acute communicable diseases)

E. 忑   5. Yáo (Yao, a legendary monarch in ancient China)

#120.

A. 坊   1. Qì (Almost)

B. 沏   2. Lí (Hedge)

C. 犬   3. Fáng (Workshop)

D. 汔   4. Qī (Infuse)

E. 篱

5. Quǎn (Dog)

CHAPTER 5: QUESTIONS (121-150)

#121.

A. 欸　　　　　　　　1. Èi (Sigh)

B. 省　　　　　　　　2. Qí (Odd)

C. 奇　　　　　　　　3. Shěng (Economize)

D. 暗　　　　　　　　4. Gāo (Fat)

E. 膏　　　　　　　　5. Àn (Dark)

#122.

A. 点　　　　　　　　1. Bù (Pace)

B. 壮　　　　　　　　2. Zhuàng (Strong)

C. 尜　　　　　　　　3. Gá (A traditional Chinese folk toy for children)

D. 政　　　　　　　　4. Diǎn (Drop)

E. 步　　　　　　　　5. Zhèng (Politics)

#123.

A. 岘　　　　　　　　1. Fāng (A word used in a place name)

B. 鸥　　　　　　　　2. Shuāng (Horse)

C. 骦　　　　　　　　3. Ōu (Gull)

D. 彪　　　　　　　　4. Biāo (Young tiger)

E. 邴   5. Xiàn (A steep hill)

#124.

A. 葛   1. Gé (Arrowroot)

B. 殒   2. Gòng (Offerings)

C. 研   3. Xián (Bowstring)

D. 供   4. Yǔn (Perish)

E. 弦   5. Yán (Grind)

#125.

A. 馐   1. Lián (Bridal trousseau)

B. 歙   2. Xiū (Delicacy)

C. 靠   3. Kào (Lean against)

D. 奁   4. Xiǎn (A surname)

E. 冼   5. Shè (Amiable and compliant)

#126.

A. 趴   1. Zhōu (Congee)

B. 鹭   2. Guō (A surname)

C. 郭   3. Jiè (Guard against)

D. 戒   4. Pā (Lie on one's stomach)

E. 粥   5. Lù (Egret)

#127.

A. 致   1. Lòng (Lane)

B. 怔   2. Zhèng (Stare blankly)

C. 罥   3. Juàn (Bird catching net)

D. 弄   4. Zhì (Deliver)

E. 获   5. Huò (Capture)

#128.

A. 范   1. Jià ((of a woman) to marry a man (opp 娶, qǔ))

B. 髂   2. Yán (Prolong)

C. 鹭   3. Lù (Egret)

D. 嫁   4. Fàn (Pattern)

E. 延   5. Qià (Ilium)

#129.

A. 彬   1. Bīn (Fine)

B. 轮   2. Lún (Wheel)

C. 肩   3. Fàn (Farmland, often used in place names)

D. 畈   4. Mó (Devil)

E. 魔 5. Jiān (Shoulder)

#130.

A. 软 1. Yàn (Counterfeit)

B. 讨 2. Shē (Extravagant)

C. 奢 3. Tǎo (Discuss)

D. 超 4. Ruǎn (Soft)

E. 赝 5. Chāo (Exceed)

#131.

A. 蹊 1. Yǐ (Used at the end of a sentence (like 了))

B. 灿 2. Qī (Footpath)

C. 鄀 3. Càn (Bright)

D. 刺 4. Ruò (Ruo (the capital of the Chu State))

E. 矣 5. Cì (Stab)

#132.

A. 盔 1. Cǎn (Miserable)

B. 屉 2. Xié (Shoe)

C. 鞋 3. Kuī (Helmet)

D. 惨 4. Tì (A food steamer with several trays)

E. 縠 5. Hú (Crepe)

#133.

A. 别 1. Chuān (River)

B. 瓣 2. Fù (Father)

C. 柑 3. Gān (Citrus reticulata)

D. 川 4. Bié (Leave)

E. 父 5. Bàn (Petal)

#134.

A. 洎 1. Ruǎn (Pliable)

B. 愤 2. Jìn (Die of hunger)

C. 殣 3. Fèn (Anger)

D. 耎 4. Pō (Sprinkle)

E. 泼 5. Jì (Reach (a point or a period of time))

#135.

A. 古 1. Yuān (Kite)

B. 鸢 2. Gǔ (Ancient)

C. 郍 3. Gē (Song)

D. 弃 4. Rú (Used in the ancient place names)

E. 歌   5. Qì (Throw away)

#136.

A. 注   1. Gōu (Tender bud)

B. 庋   2. Cūn (Chapped)

C. 皴   3. Lì (Crime)

D. 饔   4. Yōng (Breakfast)

E. 句   5. Zhù (Pour)

#137.

A. 喜   1. Táng (The Tang Dynasty)

B. 骔   2. Qiān (Modest)

C. 唐   3. Zōng (Bristles)

D. 谦   4. Hóng (Flood)

E. 洪   5. Xǐ (Be happy)

#138.

A. 尧   1. Qī (Seven)

B. 莎   2. Yóu (Squid)

C. 乳   3. Shā (Personal and place names)

D. 七   4. Yáo (Yao, a legendary monarch in ancient China)

E. 鼽　　5. Yǎn (To enter)

#139.

A. 陟　　1. Yǐn (Draw)

B. 泊　　2. Zhì (Climb)

C. 搁　　3. Zhí (Tie)

D. 絷　　4. Gē (Put)

E. 引　　5. Bó (Lie at anchor)

#140.

A. 卦　　1. Guà (Divinatory symbols)

B. 父　　2. Gě (Barge)

C. 耷　　3. Fù (Father)

D. 鹆　　4. Yù (Myna)

E. 舸　　5. Dā (Big-eared)

#141.

A. 联　　1. Táng (Hall)

B. 堂　　2. Pō (Sprinkle)

C. 泼　　3. Zhuì (Sew)

D. 出　　4. Chū (Go out)

E. 缀   5. Lián (Unite)

#142.

A. 诽   1. Fěi (Slander)

B. 髑   2. Zhào (The flag used by officials in the ancient countryside)

C. 娥   3. Diǎo (Penis)

D. 旐   4. É (Pretty young woman)

E. 屌   5. Dú (Skull)

#143.

A. 郡   1. Wò (Dirty)

B. 齷   2. Wén (Hear)

C. 闻   3. Jùn (Prefecture)

D. 恶   4. Yān (Here)

E. 焉   5. È (Evil)

#144.

A. 魖   1. Guān (Coffin)

B. 邯   2. Hán (A surname)

C. 棺   3. Lǐn (Austere)

D. 懔   4. Kūn (Quinone)

E. 醯   5. Xiāo (Mountain elf)

#145.

A. 碲   1. Ě (Tellurium)

B. 非   2. Lán (Waves)

C. 邨   3. Fēi (Mistake)

D. 澜   4. Cūn (Village)

E. 馒   5. Mán (Steamed bread)

#146.

A. 趁   1. Chèn (Take advantage of)

B. 欲   2. Fēn (Divergent)

C. 纷   3. Yù (Desire)

D. 缙   4. Jìn (Red silk)

E. 皈   5. Guī (Be converted to Buddhism)

#147.

A. 髵   1. Ér (Beard)

B. 燕   2. Bān (Issue)

C. 颁   3. Jiōng (A bolt or hook for fastening a door from outside)

D. 狉   4. Pī (Young raccoon)

E. 扁　　　　　　　　　5. Yàn (Swallow)

#148.

A. 盒　　　　　　　　　1. Bāo (Afterbirth)

B. 胞　　　　　　　　　2. Hé (Box)

C. 惆　　　　　　　　　3. Jiàn (Ancient bronze mirror)

D. 鉴　　　　　　　　　4. Chóu (Sad)

E. 贫　　　　　　　　　5. Pín (Poor)

#149.

A. 由　　　　　　　　　1. Yóu (Cause)

B. 飔　　　　　　　　　2. Cǎn (Miserable)

C. 惨　　　　　　　　　3. Jiàng (Rainbow)

D. 虹　　　　　　　　　4. Yù (Heal)

E. 愈　　　　　　　　　5. Sī (Cool breeze)

#150.

A. 洎　　　　　　　　　1. Lǐn (Austere)

B. 懔　　　　　　　　　2. Lòng (Lane)

C. 泱　　　　　　　　　3. Jì (Reach (a point or a period of time))

D. 弄　　　　　　　　　4. Yāng ((Of waters) vast)

E. 身   5. Shēn (Body)

ANSWERS (1-150)

#1.	C. Dǔ		B. Yú	E. Qiáo	A. Zhōng	D. Fàn
A. Zhǔ	D. Diàn	#44.	C. Dào		B. Nà	E. Mó
B. Yān	E. Jiàng	A. Shì	D. Yán	#87.	C. Fēi	
C. Kǎ		B. Shù	E. Yǔ	A. Yóu	D. Jìng	#130.
D. Ǎo	#23.	C. Gāo		B. Bàn	E. Yú	A. Ruǎn
E. Shà	A. Sī	D. Dēng	#66.	C. Gāng		B. Tǎo
	B. Xǐ	E. Dá	A. Liáo	D. Chú	#109.	C. Shē
#2.	C. Dā		B. Bǎn	E. Jiǔ	A. Piáo	D. Chāo
A. Jìng	D. Dù	#45.	C. Yá		B. Yǒng	E. Yàn
B. Shòu	E. Bào	A. Kuàng	D. Niǎo	#88.	C. Jǐng	
C. Xíng		B. Yǔ	E. Mò	A. Shēng	D. Wàng	#131.
D. Liú	#24.	C. Tián		B. Zhí	E. Tíng	A. Qī
E. Dōng	A. Zhào	D. Bō	#67.	C. Yīng		B. Càn
	B. Tiǎn	E. Zhuàn	A. Lè	D. Jiù	#110.	C. Ruò
#3.	C. Pò		B. Yí	E. Zǎo	A. Zhōu	D. Cì
A. Quán	D. Chún	#46.	C. Wèng		B. Shuì	E. Yǐ
B. Yì	E. Yún	A. Xiàn	D. Qiào	#89.	C. Jiē	
C. Liú		B. Luàn	E. Chái	A. Shāo	D. Chén	#132.
D. Gǔ	#25.	C. Sàn		B. Sōng	E. Xiàn	A. Kuī
E. Yáng	A. Yíng	D. Lào	#68.	C. Yǎo		B. Tì
	B. Fù	E. Huī	A. Qì	D. Luò	#111.	C. Xié
#4.	C. Kuì		B. Jiàn	E. Yù	A. Jīn	D. Cǎn
A. Shē	D. Yín	#47.	C. Bì		B. Yì	E. Hú
B. Yào	E. Pēng	A. Xiá	D. Bì	#90.	C. Lòu	
C. Sōng		B. Zé	E. Bēn	A. Nǐng	D. Mín	#133.
D. Bàn	#26.	C. Yí		B. Qīng	E. Pī	A. Bié
E. Líng	A. Sì	D. Jǔ	#69.	C. Yuè		B. Bàn
	B. Xiāo	E. Chēn	A. Qín	D. Yuán	#112.	C. Gān
#5.	C. Juǎn		B. Shòu	E. Běi	A. Shì	D. Chuān
A. Pò	D. Lìng	#48.	C. Zǔ		B. Suǒ	E. Fù
B. Sǔn	E. Zhǎn	A. Xiè	D. Qiān	#91.	C. Wò	
C. Xǐ		B. Qiè	E. Áo	A. Jiè	D. Sī	#134.
D. Shuāng	#27.	C. Hén		B. Zài	E. Fāng	A. Jì
E. Zhāo	A. Bǎi	D. Dīng	#70.	C. Fàn		B. Fèn
	B. Gòng	E. Bèi	A. É	D. Zāi	#113.	C. Jìn

#6.	C. Jiàng		B. Hàn	E. Mù	A. Zēng	D. Ruǎn
A. Fēi	D. Càn	#49.	C. Wáng		B. Háo	E. Pō
B. Jìng	E. Lǐn	A. Chóng	D. Fén	#92.	C. Chā	
C. Shì		B. Xǐng	E. Dǐ	A. Kuī	D. Lù	#135.
D. Sī	#28.	C. Lǐ		B. Tiǎn	E. Luán	A. Gǔ
E. Shǐ	A. Tán	D. Sàn	#71.	C. Tán		B. Yuān
	B. Pā	E. Zhé	A. Qī	D. Dǐng	#114.	C. Rú
#7.	C. Shān		B. Jiān	E. Bó	A. Nǐng	D. Qì
A. Hěn	D. Guā	#50.	C. Gān		B. Sū	E. Gē
B. Xuě	E. Hù	A. Tài	D. Nüè	#93.	C. Wēi	
C. Gǒu		B. Dǎn	E. Tiè	A. Xīn	D. Shú	#136.
D. Kuàng	#29.	C. Tè		B. Jǐng	E. Mù	A. Zhù
E. Yí	A. Gǔ	D. Huā	#72.	C. Lián		B. Lì
	B. Yǔn	E. Qī	A. Bó	D. Yē	#115.	C. Cūn
#8.	C. Huá		B. Lǐ	E. Jué	A. Shǔ	D. Yōng
A. Lǐn	D. Xiāng	#51.	C. Yǎn		B. Xié	E. Gōu
B. Jié	E. Suī	A. Jiān	D. Jiè	#94.	C. Zhōng	
C. Jīng		B. Zhāi	E. Wěi	A. Jì	D. Jù	#137.
D. Shěn	#30.	C. Xì		B. Liáo	E. Yíng	A. Xǐ
E. Zōu	A. Qǐ	D. Xīn	#73.	C. Yú		B. Zōng
	B. Mài	E. Chuǎng	A. Bàn	D. Āi	#116.	C. Táng
#9.	C. Dú		B. Zì	E. Jì	A. Huī	D. Qiān
A. Gāng	D. Nuò	#52.	C. Yǔ		B. Zāng	E. Hóng
B. Wú	E. Zhào	A. Zhā	D. Xuán	#95.	C. Yú	
C. Bā		B. Chǐ	E. Fù	A. Běi	D. Pǎng	#138.
D. Yàng	#31.	C. Gài		B. Tǎn	E. Tā	A. Yáo
E. Jiào	A. Kǎo	D. Huī	#74.	C. Chuāi		B. Shā
	B. Diān	E. Jiā	A. Jiāo	D. Qiū	#117.	C. Yǎn
#10.	C. Guò		B. Jiá	E. Gài	A. Xì	D. Qī
A. Yú	D. Jǐng	#53.	C. Pō		B. Tàng	E. Yóu
B. Fū	E. Ēi	A. Láng	D. Chì	#96.	C. Yú	
C. Xiù		B. È	E. Shì	A. Yā	D. Qì	#139.
D. Sǔn	#32.	C. Liáo		B. Lú	E. Biàn	A. Zhì
E. Yào	A. Zhé	D. Biàn	#75.	C. Táng		B. Bó
	B. Yòu	E. Bìn	A. Diāo	D. Jì	#118.	C. Gē

#11.	C. Dú		B. Jiǒng	E. Liè	A. Gū	D. Zhí
A. Wō	D. Nán	#54.	C. Sī		B. Máo	E. Yǐn
B. Tuì	E. Sī	A. Yǐng	D. Sōu	#97.	C. Dāngē	
C. Qián		B. Hé	E. Dú	A. Dá	D. Tiáo	#140.
D. Shā	#33.	C. Yōu		B. Ōu	E. Guà	A. Guà
E. Xià	A. Yā	D. Zhī	#76.	C. Xí		B. Fù
	B. Cí	E. Capture	A. Zhà	D. Tì	#119.	C. Dā
#12.	C. Shì		B. Jī	E. Dài	A. Pō	D. Yù
A. Xiān	D. guāng	#55.	C. Juǎn		B. Yáo	E. Gě
B. Tū	E. Chuí	A. Xiū	D. Qī	#98.	C. Sī	
C. Qí		B. Dá	E. Fēn	A. Yā	D. Wēn	#141.
D. Shà	#34.	C. Yǐn		B. Yǐng	E. Tǎn	A. Lián
E. Huàn	A. Zǎo	D. Hóng	#77.	C. Cōng		B. Táng
	B. Sǒng	E. Yāng	A. Rèn	D. Nóng	#120.	C. Pō
#13.	C. Shuǎng		B. Bó	E. Zhú	A. Fáng	D. Chū
A. Pàng	D. Zì	#56.	C. Chuáng		B. Qī	E. Zhuì
B. Yuān	E. Fú	A. Dīng	D. Liáo	#99.	C. Quǎn	
C. Zhòu		B. Wǎn	E. Wāng	A. Jǐ	D. Qì	#142.
D. Qù	#35.	C. Qíng		B. Bó	E. Lí	A. Fěi
E. Fū	A. Ròu	D. Nǎi	#78.	C. Xié		B. Dú
	B. Pàng	E. Zāi	A. Tà	D. Huàn	#121.	C. É
#14.	C. Xián		B. Jī	E. Jī	A. Èi	D. Zhào
A. Gōu	D. Hé	#57.	C. Làn		B. Shěng	E. Diǎo
B. Bèi	E. Zhǔ	A. Zhǎn	D. Shé	#100.	C. Qí	
C. Wú		B. Sū	E. Shǔ	A. Pén	D. Àn	#143.
D. Zhì	#36.	C. Cì		B. Bèi	E. Gāo	A. Jùn
E. Jué	A. Yuē	D. Nà	#79.	C. Fán		B. Wò
	B. Yì	E. Zōu	A. Luán	D. Kuāng	#122.	C. Wén
#15.	C. Yàn		B. Qiāng	E. Qiāng	A. Diǎn	D. È
A. Yàn	D. Fén	#58.	C. Tǒng		B. Zhuàng	E. Yān
B. Jiàng	E. Xì	A. Gōu	D. Jiè	#101.	C. Gá	
C. Yún		B. Jì	E. Lǚ	A. Xiǎn	D. Zhèng	#144.
D. Zhī	#37.	C. Miè		B. Lián	E. Bù	A. Xiāo
E. Cí	A. Zhì	D. Mó	#80.	C. Xiàn		B. Hán

	B. Jiān	E. Tū	A. Guāi	D. Zú	#123.	C. Guān
#16.	C. Nèi		B. Mò	E. Gāo	A. Xiàn	D. Lǐn
A. Dǔ	D. Zuò	#59.	C. Wú		B. Ōu	E. Kūn
B. Lǚ	E. Tāng	A. Xiè	D. Ruǎn	#102.	C. Shuāng	
C. Wǔ		B. Yān	E. Lián	A. Qiān	D. Biāo	#145.
D. Ruì	#38.	C. Chēng		B. Chèng	E. Fāng	A. Ë
E. Duàn	A. Pán	D. Cuì	#81.	C. Wú		B. Fēi
	B. Chóu	E. Táo	A. Nǎi	D. Shì	#124.	C. Cūn
#17.	C. Mài		B. Shǐ	E. Lín	A. Gé	D. Lán
A. Mǎn	D. Bì	#60.	C. Huī		B. Yǔn	E. Mán
B. Ài	E. Jiā	A. Wǎn	D. Bó	#103.	C. Yán	
C. Tuǒ		B. Kūn	E. Chén	A. Pī	D. Gòng	#146.
D. Wéi	#39.	C. Cí		B. Zú	E. Xián	A. Chèn
E. Jiāo	A. Qiáo	D. Shì	#82.	C. Lǐ		B. Yù
	B. Biě	E. Xiōng	A. Zhēn	D. Xiàng	#125.	C. Fēn
#18.	C. Pān		B. Gǔ	E. Luán	A. Xiū	D. Jìn
A. Fū	D. Bì	#61.	C. Qìn		B. Shè	E. Guī
B. Juéduì	E. Fēng	A. Pàn	D. Chá	#104.	C. Kào	
C. Ān		B. Gōng	E. Huān	A. Jiàng	D. Lián	#147.
D. Sì	#40.	C. Yún		B. Líng	E. Xiǎn	A. Ér
E. Tū	A. Jiā	D. Méi	#83.	C. Gē		B. Yàn
	B. Kāng	E. Tà	A. Bèi	D. Diàn	#126.	C. Bān
#19.	C. Sù		B. Hè	E. Chàng	A. Pā	D. Pī
A. Jiù	D. Hóng	#62.	C. Jiū		B. Lù	E. Jiōng
B. Jiāo	E. Rén	A. Dá	D. Mài	#105.	C. Guō	
C. Shǐ		B. Xī	E. Gē	A. Bìn	D. Jiè	#148.
D. Dí	#41.	C. Tí		B. Luò	E. Zhōu	A. Hé
E. Chǒu	A. Bāo	D. Fú	#84.	C. Ruǎn		B. Bāo
	B. Huò	E. Jiù	A. Zhuì	D. Jiā	#127.	C. Chóu
#20.	C. Yuán		B. Yè	E. È	A. Zhì	D. Jiàn
A. Yìn	D. Bào	#63.	C. Fán		B. Zhèng	E. Pín
B. Xiōng	E. Xuān	A. Dú	D. Liàng	#106.	C. Juàn	
C. Liáng		B. Jiè	E. Shǐ	A. Gāo	D. Lòng	#149.
D. Hé	#42.	C. Tún		B. Xiá	E. Huò	A. Yóu
E. Qiào	A. Chú	D. Xùn	#85.	C. Fén		B. Sī
	B. Càn	E. Xùn	A. Mò	D. Zòng	#128.	C. Căn

#21.	C. Yí		B. Xiá	E. Piǎo	A. Fàn	D. Jiàng
A. Chǐ	D. Zǎi	#64.	C. Ë		B. Qià	E. Yù
B. Xiè	E. Jiù	A. Yìn	D. Chéng	#107.	C. Lù	
C. Ruǎn		B. Tōng	E. Fěi	A. Chún	D. Jià	#150.
D. Zhuǎng	#43.	C. Láng		B. Gēn	E. Yán	A. Jì
E. Tì	A. Yú	D. Chuí	#86.	C. Hán		B. Lǐn
	B. Shǔ	E. Yǐ	A. Nè	D. Zhòu	#129.	C. Yāng
#22.	C. Liè		B. Cǎn	E. Bān	A. Bīn	D. Lòng
A. Mù	D. Jiào	#65.	C. Yún		B. Lún	E. Shēn
B. Lóng	E. Nǐng	A. Lǐng	D. Mào	#108.	C. Jiān	

Milton Keynes UK
Ingram Content Group UK Ltd.
UKHW051030221123
433051UK00018B/694